DISNEY

# LA REINE DES NEIGES

C000088382

hachette
JEUNESSE

© 2014 Disney Enterprises, Inc.
Adaptation : Catherine Kalengula

Le royaume d'Arendelle est un endroit merveilleux, où les habitants vivent heureux. Personne ne se doute que le roi et la reine cachent un lourd secret...

La plus âgée de leurs filles, Elsa, possède un pouvoir magique aussi beau que dangereux. Elle peut geler les choses et fabriquer de la neige, d'un bout à l'autre de l'année !

Aux yeux d'Anna, sa petite sœur, Elsa est une fée !

Mais un soir, tandis que les deux sœurs s'amusent, Elsa blesse accidentellement Anna. Ne voulant plus jamais risquer de faire du mal à sa sœur, Elsa décide de l'éviter. Pour protéger la petite, le roi et la reine demandent aux trolls d'effacer la mémoire d'Anna. Ainsi, elle ne se souvient plus des dangereux pouvoirs de sa sœur.

Les deux fillettes grandissent alors tristement, chacune de leur côté.

Anna ne comprend pas pourquoi Elsa la rejette et elle se sent seule. Sa sœur lui manque terriblement...

Les années passent et c'est à Elsa, l'aînée, que revient le trône. Une grande cérémonie est organisée pour l'occasion.

Ce jour-là, Anna fait
la rencontre d'un garçon
séduisant, qui a tout
du prince charmant :
Hans.

Hans et Anna se plaisent immédiatement, et sitôt le bal terminé, ils décident de se fiancer. Mais la nouvelle reine refuse d'en entendre parler. Les deux jeunes gens viennent à peine de se rencontrer ! Une dispute éclate alors entre les deux sœurs. Soudain, Elsa s'emporte et laisse échapper un rayon glacé de sa main !

Son secret est révélé ! Honteuse et terrifiée à l'idée
de blesser quelqu'un, la reine Elsa quitte précipitamment
le château, en gelant tout sur son passage.

Elsa escalade une montagne et s'apaise peu à peu. Il n'y a personne aux alentours et sa peur devient aussi légère que ses beaux tourbillons de flocons.

Parvenue au sommet, la reine fabrique un somptueux palais de glace. Désormais, ce sera chez elle.

Anna, elle, n'a qu'une hâte : retrouver sa sœur.
Maintenant qu'elle connaît son secret, rien ne
peut plus les séparer ! Mais pour affronter la
violente tempête créée par Elsa, des vêtements
chauds ne seront pas de trop !
Par chance, il existe un magasin pas très loin.

À l'intérieur de la boutique, elle rencontre un autre
client : un jeune vendeur de glaçons prénommé
Kristoff. Et il n'est pas de très bonne humeur !
À cause de cet hiver surprise en plein été, il est ruiné !
Qui voudrait acheter des glaçons quand il fait si froid ?

Kristoff sait d'où le blizzard souffle, alors Anna lui propose un marché : comme il n'a plus un sou, elle lui achète tout ce qu'il veut s'il la conduit jusqu'à la montagne.

Kristoff et Sven, son renne, acceptent aussitôt.

Sur le chemin, le trio découvre une magnifique forêt scintillante. Ce paysage grandiose émerveille Anna qui n'est pas au bout de ses surprises ! En fait, Elsa ne se contente pas de fabriquer des mondes féeriques faits de neige et de glace...

Elle a aussi créé un sympathique bonhomme de neige du nom d'Olaf !

Lassé par la blancheur sans tache des paysages enneigés, Olaf ne rêve que d'une chose : de soleil.

Ensemble, les nouveaux amis atteignent l'extraordinaire palais de la reine.

Malgré la demande insistante d'Anna, Elsa ne veut pas rentrer à Arendelle. Elle pense que les gens ne pourront jamais l'accepter telle qu'elle est.

Les deux jeunes femmes
se disputent. Mais une fois de
plus, Elsa est incapable de
contrôler son pouvoir.
Elle lance un rayon glacé
qui frappe sa sœur
en plein cœur.

Blessée, Anna refuse malgré tout de s'en aller.
Alors, Elsa fabrique un terrifiant bonhomme de neige
et le géant fait fuir les visiteurs en courant !

Sur le chemin du retour, Kristoff remarque que les cheveux d'Anna blanchissent. Ce n'est pas normal… Il la conduit chez les trolls. Là, un vieux sage leur apprend que son corps sera entièrement gelé d'ici une journée. Seul un véritable acte d'amour peut la sauver. Il faut donc vite la ramener auprès de son fiancé, Hans !

Entre-temps, celui-ci a retrouvé Elsa et l'a emprisonné dans le donjon. Le soi-disant prince charmant n'avait en réalité qu'un seul but : voler le trône d'Arendelle !

Lorsqu'Anna rejoint enfin son prince et lui demande un baiser pour la sauver, il refuse ; en fait, Hans n'a jamais été amoureux de la princesse.

Aussitôt, Olaf a une idée : et si Kristoff donnait
un baiser à Anna ? Il ne faut pas être aussi malin
qu'un troll pour comprendre qu'il est fou amoureux
d'elle. Le bonhomme de neige et la princesse
partent immédiatement à la recherche
du jeune vendeur de glaçons dans le fjord gelé.
Là, ils découvrent Hans, sur le point
de frapper Elsa avec son épée !

N'écoutant que son cœur, Anna rassemble le peu
de forces qu'il lui reste pour protéger sa sœur.
À l'instant même où elle devient entièrement
gelée, Hans abat son épée et la lame
se brise sur la statue de glace.

En pleurs, Elsa étreint le corps glacé
de sa sœur. C'est alors qu'une chose
incroyable se produit : Anna se met
à dégeler ! L'amour de la Reine
des Neiges l'a sauvée !
Grâce à l'affection d'Anna,
Elsa peut enfin ramener l'été.

Les habitants accueillent leur reine à bras ouverts et Kristoff décide de rester à Arendelle. Quant à Olaf, Elsa lui offre un cadeau merveilleux : un nuage de neige pour le maintenir au froid !

Plus de chagrin, ni de peur, c'est seulement le bonheur qui emplit le cœur des deux sœurs...

Pour l'éditeur, le principe est d'utiliser des papiers composés de fibres naturelles, renouvelables, recyclables et fabriquées à partir de bois issus de forêts qui adoptent un système d'aménagement durable. En outre, l'éditeur attend de ses fournisseurs de papier qu'ils s'inscrivent dans une démarche de certification environnementale reconnue.

Édité par Hachette Livre - 43 quai de Grenelle, 75905 Paris Cedex 15
Imprimé par Pollina en France - L2053 – Achevé d'imprimer : mai 2014
ISBN 978-2-01-464538-5 – Edition : 08 – Dépôt légal : novembre 2013
Loi n°49-956 du 16 juillet 1949 sur les publications destinées à la jeunesse.

Pour tout renseignement concernant nos parutions, nous contacter
par téléphone au 01 43 92 38 88 ou par e-mail : disney@hachette-livre.fr